Ce livre appartient à

_____

On me l'a offert le

_____

à l'occasion de

_____

_____

Merci à

_____

_____

Philippe Jouin

Auguste

Éditions de la Paix

SODEC
Québec

Le Conseil des Arts | The Canada Council
du Canada | for the Arts

Philippe Jouin

Auguste

Illustration Isabelle Collerette

Collection Dès 6 ans, no 8

Éditions de la Paix
pour la beauté des mots et des différences

2000 Éditions de la Paix

Dépôt légal 3e trimestre 2000
Bibliothèque nationale du Québec
Bibliothèque nationale du Canada
Imprimé au Canada

Illustration   Isabelle Collerette
Conception graphique   Marie-Soleil Fraser
Révision   Jacques Archambault, Serge Trudel

Éditions de la Paix
127, rue Lussier
Saint-Alphonse-de-Granby, QC   J0E 2A0
Téléphone et télécopieur   (450) 375-4765
Courriel   **info@editpaix.qc.ca**
Site Web   **http://www.editpaix.qc.ca**

Données de catalogage avant publication
(Canada)
Jouin, Philippe
    Auguste
    (Dès 6 ans ; 10)
Comprend un index
    ISBN   2-922565-13-0
    I. Collerette, Isabelle. II.Titre.
    III. Collection: Dès 6ans ; no 10.
PS8569.O94A93 2000   jC843'.6
C00-941473-8
PS9569.094A93 2000
PZ23.J68Au 2000

À ma petite fille, Sophie,
Ton énergie, ta joie de vivre
et ton amour inconditionnel
sont pour moi une source
perpétuelle d'inspiration...

Je t'aime, ma chouette !

Philippe

Isabelle Collerette

À la demande de sa mère, Isabelle, alors âgée de 13 ans, partit s'acheter un jeans, mais revint avec un livre sur le dessin... oups !

Depuis sa plus tendre enfance, elle prend un plaisir fou à dessiner, peindre, bricoler et lire. Avec le temps, la passion pour la couleur et la ligne est devenue un métier. Après un passage à l'Université du Québec à Chicoutimi, elle partage son temps entre sa famille, l'illustration, la peinture et les cours de dessin qu'elle donne à son atelier.

Les recettes exotiques, les promenades à vélo ou à pied dans la nature, le vitrail et la photographie la passionnent aussi... et dire qu'il faut dormir la nuit !

Chapitre premier

DRÔLE DE RÊVE

Papa est parti ; pas en voyage ni en vacances ou rien de tout cela, non, il est parti en réflexion. Maman dit que tout va bien, mais moi, je sais que non. Papa réfléchit tout le temps depuis une semaine, mais pour la première fois, il va réfléchir à l'extérieur. Il est sorti avec nos valises de voyage dans le Sud en disant qu'il est en « première » période de réflexion...

Me voilà seule avec maman maintenant. Avant de partir, bouleversé, papa m'a dit :

« Prends bien soin de maman, tu deviens l'homme de la maison durant mon absence », sauf que je suis une petite fille ! Nous avons éclaté de rire ensemble... Je m'ennuie déjà !

Quelle impolie je fais, je ne me suis même pas présentée. Je me prénomme Alexandra, mais mes amis m'appellent Alex. Voilà ! J'ai huit ans, bientôt neuf, et je vis dans une petite, mais très jolie maison au beau milieu d'un petit, mais très joli village. On y trouve tous les avantages d'une ville : un magnifique parc aux mille fleurs odorantes, une bibliothèque avec une multitude de bandes dessinées, un vendeur de crème glacée, enfin !... tu trouves de tout pour un parfait bonheur.

T'ai-je dit qu'il y a une école ? Bien sûr qu'il y en a une ! Mais c'est loin d'être une commodité, je dirais plutôt une corvée. Surtout quand on a madame Pichenet comme enseignante. De plus, il est possible que je recommence mon année à cause des mathématiques.

Ne trouves-tu pas que j'ai beaucoup de tracas pour mon âge ?

Il est tard. Je sais que je devrais dormir, mais je n'y arrive pas, trop d'images, de pensées se bousculent dans ma tête. C'est comme une avalanche du cerveau ou encore une tempête de neige intérieure. Je dors mal depuis quelques jours, ce sont les cauchemars qui me tiennent compagnie. Toujours les mêmes, d'énormes examens de maths me courent après en me crachant des zéros à la figure... Ou encore, on sonne à la porte, je l'ouvre et devant moi, mon père, tout ruisselant de larmes, me demande d'aller chercher deux autres valises pour sa « deuxième » période de réflexion... Fiou !

Toc ! Toc ! Toc !

– Tu ne dors pas encore, ma chouette ? !

C'est ma mère. Elle est très inquiète pour moi. Je lui raconte mes cauchemars en éclatant en sanglots. Elle me console du mieux qu'elle peut, en me fredonnant une berceuse que grand-mère lui chantait quand elle était petite. Puis, me croyant endormie, elle éteint la lumière et sort discrètement de la chambre.

Veux-tu bien m'expliquer comment je pourrais dormir avec tous ces affreux cauchemars ?

L'envie de pleurer me brouille les yeux à nouveau. Si ça continue, il faudra m'appeler la fontaine... Mes yeux humides sont grands ouverts, l'obscurité de ma chambre ne m'effraie pas, je peux distinguer les moindres objets qui s'y trouvent sans peine. Sauf un ! Sans comprendre pourquoi, je ne le lâche pas du regard. J'ai une peur bleue, une vraie tremblote de film d'horreur. Il ou elle se déplace dans ma direction, de la bibliothèque à mon bureau, de mon bureau à mon lit. L'objet semble flotter ! Il est tout petit ! Oh maman ! Il s'assoit sur mon gros orteil !

– Pourquoi pleures-tu, mon ange ?

Il me parle ! Un mélange d'angoisse et de surprise s'empare de mon corps, je ne peux ni bouger ni parler. Vas-y Alex ! Courage, réponds-lui ! Je risque une question :

– Qui est là ?

Question plutôt simple, mais efficace.

– Je suis Auguste ! Pour vous servir, mademoiselle Alexandra.

Tu ne devineras jamais ce que j'ai répondu ! Qu'il pouvait m'appeler Alex. Curieux, non ?

Un climat de confiance s'installe déjà entre nous. On n'a qu'à le regarder pour se sentir bien instantanément. Il ressemble à un bonhomme sourire. Tu vois ce que je veux dire ? Ce genre de macaron avec deux grands yeux et un gigantesque sourire sympathique, c'est tout à fait lui. Ajoute deux bras et deux jambes, et voilà ! Il est comme mon ange gardien. Dans son travail, lui seul a la charge du service des peines et des soucis. Sa mission est de me redonner le sourire pour toujours. Bonne chance ! ...

Auguste tient la conversation plusieurs heures. Il se fait tard, mais je ne suis pas fatiguée. C'est un merveilleux conteur d'histoires, de plus, il me fait rire tout le temps. Normal, c'est son travail. Tu avoueras que ce n'est pas souvent qu'on veille tard avec un sourire sur deux pattes.

Oups ! J'entends maman dans le corridor, je dois rire trop fort.

Toc ! Toc !

– Tu ne dors pas encore, ma

chouette ?

Maman m'appelle toujours d'un tas de jolis surnoms, « ma chouette » étant son préféré. Quand j'y pense, c'est étrange, la chouette ne dort pas la nuit. En tout cas, je choisis de lui mentir, et je déteste ça. Je lui dis que j'ai d'autres cauchemars, mais ce sont plutôt des rêves féeriques ! Maman a raison, il faut que je dorme. De toute façon, j'ai la tête qui cogne des clous et mes paupières devien-nent loouurdes...

Chapitre 2

AUGUSTE JOUE UN TOUR

Quelle paresseuse ! Tu te rends compte de l'heure ? Une heure de l'après-midi. Maman m'annonce que le dîner est prêt. J'ai une faim de louve, je mangerais même mes vieux bas sales. J'organise un concours avec moi-même, celle qui s'habille le plus rapidement, Alex ou Alexandra... Et l'heureuse gagnante est...

– À quoi joues-tu, Alex ?

Cette douce voix qui résonne dans la chambre, je la reconnais.

Mes cheveux se dressent sur la tête, on dirait presque une permanente. Et mon cœur joue du tam tam... fabuleux ! Mon rêve continue en plein jour... mais heu... Mais j'y pense... je ne rêve pas ! Je me pince les bras. Aïe ! Il est bel et bien réel, ici, devant moi ! Je demande à Auguste de bien vouloir patienter, car je dois descendre tout de suite si je ne veux pas éveiller les soupçons de maman. Traite-moi de folle si tu veux, mais j'ai englouti le dîner en cinq minutes tellement j'avais hâte de revoir mon copain. À peine remise de mes émotions et de mon indigestion, j'invite Auguste à venir se balader au parc. De tous les endroits que je connais, c'est celui que je préfère. Encore récemment, papa, maman et moi y passions d'agréables dimanches. Enfin !

Quelle splendide journée pour une promenade ! Auguste est vraiment le compagnon idéal. D'accord, il bavarde beaucoup, mais c'est toujours intéressant. De plus, il m'écoute attentivement quand je parle, ce qui n'est pas souvent le cas avec les grandes personnes. Je t'avoue que moi aussi, je parle beaucoup. Maman dit que je suis une pie jaseuse, et papa, lui, dit que j'ai la parlote galopante.

À cette époque de l'année, le parc est envahi de milliers de fleurs multicolores, exhalant un doux parfum. Malheureusement, les odeurs ne sont pas toutes agréables. En effet, j'aperçois Marco Mouffe, dit « la mouffette », accompagné de sa sale bande d'affreux. Son activité favorite est d'embêter tous les enfants, particulièrement... les filles. Il n'a pas de vrais amis, seulement sa bande de moutons, prête à exécuter la moindre de ses directives. Il aime se battre et provoquer les autres. Il insulte tout le monde, même les adultes.

– Pourquoi l'appelle-t-on Mouffette, demande Auguste ?

– Parce qu'il ne se lave jamais, il pue le vieux bouc.

Auguste me raconte que jadis, il avait rencontré un garçon de ce genre et qu'il lui avait donné une correction si sévère que l'enfant ne l'avait plus jamais dérangé.

Quand on parle du loup... Mouffette est là, devant moi, avec sa tête d'œuf, ses yeux de crapaud et sa langue de vipère. Il est seul, sa bande de brebis galeuses est partie.

– Tiens, tiens, tiens... si ce n'est pas Alexandrouille, la petite braillarde aux quatre yeux !

Je porte des lunettes, c'est pour ça qu'il m'appelle « quatre-z-yeux ». Il est le seul à trouver ça drôle, mais cette fois il a

intérêt à me laisser tranquille. Confiante, je lui montre Auguste.

– Fais attention, toi, si tu m'ennuies, il va écrabouiller ton gros nez.

Pas impressionné, il répond :

– Un macaron ? Tu veux qu'un macaron m'écrabouille le pif ?

Il éclate de rire et continue à m'insulter. Il réussit à me rendre malheureuse. J'ai honte de pleurer, mais c'est plus fort que moi. Fier de ses actes, Marco prend le chemin du petit bois tout content d'avoir ajouté une victime à ses nombreux mauvais coups. Désolé, Auguste m'explique pourquoi il n'a pas réagi.

– C'est un secret, ma douce Alex ! S'il s'aperçoit que j'existe, il pourrait vouloir me faire du mal. Tu ne voudrais pas ça ?

– Oh ! Non ! Jamais !

– Tu sais, je suis très fragile au contact des humains, un rien peut me briser, je pourrais mourir ! ...

L'idée de perdre Auguste me glace le sang. Je chasse ces idées troublantes de ma tête, de peur qu'elles se réalisent. J'observe Auguste qui marmonne tout seul. Puis, l'air rayonnant, il commence à siffloter une jolie mélodie et finit par me dire :

– Alex en sucre, j'ai une idée. Nous allons jouer au macaron volant. Tu vas voir, c'est très facile. Tu n'as qu'à me lancer de toutes tes forces et me suivre. Nous allons à la rencontre de Mouflette.

– Ah ! Ah ! Ah ! On dit Mouffette.

– Mouflette, Mouffette, c'est la même chose ! De toute façon, il va y goûter !

À sa demande, je le lance de toutes mes forces, et crois-le ou non, il vole comme un oiseau. Tu devrais le voir battre des ailes... eh ! ... des bras plutôt. En tout cas...

Cela ne l'empêche pas de jacasser. Il rouspète contre un pigeon qui fait tomber sa crotte sur son dos. Il le menace alors de le transformer en pigeon rôti. Il se précipite avec courage sur les pas de Marco Mouffe. Une fois qu'il l'a rejoint, il se précipite dans les branches d'un sapin bleu et commence à réciter son texte à haute voix comme les messieurs qui font de la politique à la télévision. C'est vraiment impressionnant de l'entendre, une si grosse voix dans un si petit bonhomme.

– Tu fais mieux de m'écouter. MARCO-MOUFFE-QUI-SENT-LA-MOUFFETTE, LAISSE MON AMIE TRANQUILLE, SINON JE TE JETTE UN SORT !

Devant la tête que fait Marco, incrédule, la bouche grande ou verte, une irrésistible envie de rire s'empare de moi. La vue d'un fantôme ne l'aurait pas plus étonné.

Comble de malchance, Marco constate ma présence et mon amusement. Choqué, il redouble d'insultes à mon endroit.

– Aïe ! quatre-z-yeux, ton petit tour ne me fait pas peur... Hou ! Hou ! ... Ha ! Ha ! Ha ! T'as pas autre chose à faire depuis que ton papa chéri t'a abandonnée ?

C'est le genre de paroles qui vous transpercent le cœur. Comment peut-il dire une chose si atroce ? C'est pas facile de perdre une personne qu'on aime, tu sais ! De son côté, Auguste s'enrage.

– As-tu fini de lancer tes plus vilaines remarques à la petite fille que j'aime le plus au monde ?

Tellement il est furieux, Auguste donne l'impression d'avoir reçu un million de crottes de pigeon sur la tête. Des grondements de tonnerre résonnent sur les paroles magiques qu'il prononce. C'est très impressionnant, une vraie fin du monde !

Avec une voix de Dieu le père, il menace :

– Par les pouvoirs qui me sont conférés, j'ordonne que sur ce gros nez en forme de patate pleuve une tonne de patates. Que cette pluie cesse seulement quand Marco la Mouffette s'ex- cusera. Et si jamais, il recom- mence ses idioties, il recevra des pastèques sur la tête.

Pas besoin de te dire que le courageux Marco s'est vite transformé en véritable poule mouillée. Il reçoit à peine deux ou trois patates sur la caboche, que déjà il s'excuse et prend ses jambes à son cou, en pleurant comme un bébé encore aux couches. Auguste et moi rigolons si fort que j'en ai des crampes dans le ventre.

Le reste de la journée, et même toute la soirée, sont d'agréables moments avec un Auguste aussi espiègle que sympathique.

Enfin ! je vais dormir comme une bûche.

Chapitre 3

AUGUSTE À L'ÉCOLE

Ce matin, c'est le dernier examen de mathématiques de l'année. Il me faut avoir au moins 30 sur 50, sinon, l'enfer, je redouble. Je n'ai pas envie de me retrouver dans la classe de l'horrible madame Pichenet pour une deuxième année... Auguste insiste pour m'accompagner, je lui fais promettre de ne pas trop jacasser. Je le cache dans mon sac à dos et c'est parti !

Dans la classe de madame Pichenet, la discipline est d'argent, le silence est d'or, et tout est interdit. Seul, le travail compte, et toujours le travail. Elle voit tout avec ses yeux de chouette et elle entend tout avec ses grandes oreilles. Marco Mouffe l'appelle « Dumbo ». Mais au diable les oreilles de madame Pichenet, l'important pour l'instant est de réussir mon examen.

Courage, Alex, tu es capable ! Tout au long du test, discrètement, Auguste me lance des encouragements du genre : « Si tu crois en toi, tu peux réussir l'impossible ». Finalement, c'est lui qui a raison. C'est super facile « bébé lala », comme dit souvent mon amie Julie. Maman a bien raison quand elle dit que je m'énerve pour rien. J'ai hâte d'avoir mon résultat. En tout cas, ce sera positif, j'en suis certaine.

Quand la tête travaille fort, l'estomac crie sa faim. Mon ventre fait du bruit, presque de la musique. D'ailleurs, Auguste chante au rythme de mes gargouillis. À la cafétéria, affamée, je me retrouve devant un sandwich aux tomates sans tomates. Depuis le départ de papa, maman oublie tout, mais je lui pardonne sa distraction. Heureusement, mes amies, Julie et Mélanie, partagent une part de leur dîner avec moi. C'est à cela que sert l'amitié. En ce moment, sans amis, je crèverais de faim. En douce, je demande à Auguste s'il veut manger quelque chose. Il me répond qu'il ne mange jamais. J'aurais dû m'en douter, tu imagines un macaron en train de manger ? Moi, non plus !

Cet après-midi, toute l'école est en fête, car c'est presque la fin des classes. Un spectacle de marionnettes est au programme, et tout le monde est heureux... Sauf mon enseignante...

Les élèves de madame Pichenet marchent vers la salle de spectacle à la cadence des robots. On se croirait dans l'armée. Nous devons faire la meilleure impression, la plus belle entrée... Rien n'est jamais amusant dans la classe de madame Pichenet !

J'adore les marionnettes, elles me fascinent : de simples bouts de tissu qui s'animent sous les doigts magiques d'un artiste et dont les histoires font rêver les enfants. Un jour, je serai marion-nettiste...

À la fin du spectacle, les applaudissements retentissent, c'est un énorme succès. Auguste aussi applaudit. Tellement cap-tivé, il n'a pas dit un mot de toute la représentation. Je re-mercie le ciel de l'avoir à côté de moi, il est comme mon père... Enfin ! Je le serre fort contre moi en lui disant :

– Je t'aime, Auguste !

– Moi aussi, mon chaton.

En rang d'oignons, les élèves se dirigent vers la classe, commandés par le général Pichenet. Auguste n'en revient pas de la manière dont se comporte cette enseignante.

– C'est la pire que j'ai jamais eue.

Dans la classe de madame Pichenet, les élèves ont passé une année bien triste. Ouf ! C'est presque fini.

Chapitre 4

LA GROSSE BÊTISE
D'AUGUSTE

Il faut vraiment voir le sourire de maman tellement elle est fière de moi. C'est que je lui ai dit que j'étais certaine d'avoir réussi mon examen. Du coup, elle me donne la permission d'aller au parc.

La plupart de mes amies tiennent un journal intime. Le mien, je l'appelle Les grandes journées de ma vie. Eh bien ! aujourd'hui, je vais inscrire que maman me donne la permission d'aller au parc un jour d'école. Tu te

45

doutes bien qu'Auguste m'accompagne ! Toujours aussi bavard et enjoué que d'habitude. Une fois au parc, il insiste pour que je le fasse voler. Avec plaisir ! Une vraie soucoupe volante miniature, il se déplace avec une telle énergie, qu'il m'étourdit. Espiègle comme il est, il utilise ses pouvoirs magiques dans le seul but de jouer des tours aux promeneurs. Sur un gros monsieur, il fait pleuvoir des tablettes de chocolat. Sur un enfant tombent des petits soldats en parachute. Même les animaux y ont droit. Un chien a reçu des os et un chat, des sardines sur la tête. Sur moi, une pluie de fleurs s'est abattue. C'est vraiment un amour !

Tout était trop beau pour le rester. Sais-tu ce que le mot catastrophe veut dire ? Imagine-toi qu'Auguste vient d'apercevoir une personne qu'il déteste, et ce n'est pas Marco Mouffe... Tu as deviné, il s'agit bien de madame Pichenet, qui fait une promenade avec son chien saucisse. Auguste s'avance vers elle à la vitesse de l'éclair.

– À l'attaque, vieille gribouille !

J'ose à peine regarder la suite. Du coin de l'oeil, j'aperçois, oh ! horreur ! Auguste lançant une avalanche de cornichons sur le corps menu de mon enseignante. La terreur se lit sur son visage. Madame Pichenet pousse des cris de frayeur, tentant

 47

d'éviter les cornichons en sautillant sur ses petites jambes maigrelettes. Son chien ne semble pas s'énerver, au contraire, il aime bien, et il mâchouille un cornichon. Madame Pichenet, toujours paniquée, finit par glisser et tomber sur le derrière. J'éclate de rire. Mon envie de rire cesse lorsque j'entends mon enseignante :

– C'est donc toi, petite dévergondée, qui me lance des concombres sur la tête ? Rira bien qui rira la dernière, petite peste !

Elle crie contre moi, elle prononce des mots horribles et surprenants dans la bouche d'une maîtresse d'école. C'est injuste, car je n'ai rien à me reprocher.

Elle menace de tout raconter à maman. Elle me donne la chair de poule...

Après cette engueulade, Auguste et moi prenons le chemin du retour. Il règne un silence de mauvaise action, c'est terrible ! Je marche le plus lentement possible, je ne suis pas vraiment pressée d'arriver. J'ai une telle frousse de me faire gronder.

Nous y sommes, je voudrais être six pieds sous terre. Auguste non plus n'en mène pas large. C'est l'heure du repas, et madame Pichenet a sûrement déjà téléphoné.

Courageusement, j'ouvre la porte. Maman m'accueille avec un sourire étiré jusqu'aux oreilles, mon plat favori entre les mains. Évidemment, madame

Pichenet n'a pas appelé. Monsieur Auguste, le trouble-fête, recommence tout à coup à bavarder. Cette bonne humeur de maman le libère d'un poids. Il se sentait responsable de la colère de mon enseignante. En tout cas, on a eu chaud !

Une fois couchés dans mon grand lit douillet, j'appelle ma mère afin qu'elle vienne me border. C'est une habitude que j'ai prise. Autrement, je suis incapable de dormir. Maman a l'air songeur, elle doit penser à papa. À moi aussi, il me manque. Une chance que mon ange gardien veille sur moi ! Maman m'embrasse tendrement et me souhaite une bonne nuit. Elle éteint et ferme la porte discrètement.

Dans le silence, je pleure en pensant à mon père qui n'est pas à mes côtés.

– Pourquoi pleures-tu, mon ange ?

– Ce n'est rien, Auguste, bonne nuit.

– Bonne nuit, Alex.

Chapitre 5

LE COURAGE D'AUGUSTE

Aujourd'hui, c'est le grand jour ! La bonne humeur matinale de maman fait plaisir à voir. J'ai droit au plus délicieux de ses petits déjeuners : des gaufres, des crêpes et des fruits frais. Ouf ! Je vais exploser. Toujours caché dans ma poche, Auguste n'arrête pas de fredonner une chanson que je ne connais pas. Quelle voix horrible !

Afin de mieux digérer ce gros repas, je décide d'aller à l'école en vélo. Je suis, bien sûr, accompagnée de mon chanteur de fausses notes. Celui-là, quand il ne jacasse pas, il chante. Enfin...

Un léger frisson me glace le dos juste avant d'entrer en classe, mais il me faut y aller.

J'ouvre la porte sans grand plaisir, madame Pichenet me jette un regard à me lancer des couteaux. Comme à l'habitude, tout le monde attend le début de la classe dans un silence absolu. Nous sommes impatients de recevoir les résultats de notre examen de maths. Madame Pichenet nous donne les copies avec sa froideur habituelle. Au moment de me remettre la mienne, elle crie devant tout le monde :

– Je tiens à vous féliciter pour vos excellents résultats. Vous passez tous votre année avec succès, sauf une... mademoiselle Alexandra. Vous avez échoué à l'examen avec un minable 29 sur 50...

C'est abominable de faire ça, c'est une honte... J'étais certaine d'avoir réussi ! Je fonds en larmes devant tous mes amis. Auguste qui a tout entendu bondit hors du sac où il se cachait et insulte mon enseignante :

– Vieille gribouille de madame Pichenotte, tu n'as pas honte de te venger sur cette enfant ?

Oh ! horreur ! Elle croit que c'est moi qui ai parlé. Elle me serre le bras dans l'intention de me sortir de la classe, mais Auguste réagit à la vitesse de l'é-clair et lui crache un énorme cornichon dans la figure... Toute la classe éclate de rire. Comme une lionne en colère, madame Piche-net rugit en commandant le silence. On pourrait entendre voler une mouche.

– Donne-moi ton sac, petite peste !

Elle croit que j'y cache des cornichons. Je ne peux tout de même pas lui dire que c'est Auguste, le responsable ! Elle m'arrache le sac des mains.

– Où caches-tu tes concombres ?

Elle fouille dans mon sac sans rien trouver. En colère, elle saisit le premier objet qui lui tombe sous la main. Mon Dieu, c'est Auguste ! Il semble figé, sans vie.

– Tu aimes lancer des objets à la tête des gens ? Et si je te lançais ce vieux macaron, est-ce que tu trouverais ça drôle ?

– Non, Madame.

Elle me regarde en souriant, et sans que j'aie le temps de l'en empêcher, elle envoie Auguste s'écraser contre le tableau.

– NON !!!

Auguste est brisé en plusieurs morceaux, il est mort. Il ne ressemble plus qu'à un vieux macaron de plâtre tout cassé. Je ramasse délicatement les morceaux et les dépose sur mon pupitre. J'ai de la difficulté à contenir mes sanglots. Madame Pichenet semble heureuse de me voir si triste et elle rit. Je sens la colère monter en moi, c'en est trop ! Je fonce vers elle en criant, voulant lui donner des coups de pieds sur les jambes. Je hurle :

– Vous l'avez tué, vous l'avez tué ! espèce de vieille sorcière !

Elle est surprise de ma réaction. Soudain, j'entends mon amie Julie crier :

– Vieille sorcière !

Elle se lève, puis c'est le tour de Mélanie de l'imiter en criant à son tour :

– Vieille sorcière !

Carole, Marc-André, Sébastien et toute la classe finit par crier :

– Vieille sorcière, vieille sorcière, vieille sorcière !...

On dirait une vraie maison de fous. La sorcière tueuse de macaron se bouche les oreilles pour ne pas entendre le chahut bahut. Une voix d'homme retentit, celle du directeur :

– Silence !

La sorcière explique la situation au directeur. Il décide donc de m'emmener à son bureau pour que je lui donne des explications. J'aime beaucoup le directeur, je sais qu'il m'écoutera attentivement, c'est un homme juste et bon. Toujours en larmes, je vide la boîte de papier mouchoir sur son bureau. Je pense que je vais pleurer le restant de mes jours. Je lui donne tous les détails, à partir des cornichons dans le parc, jusqu'au désordre dans la classe, sans jamais mentionner Auguste naturellement. Je tente de le convaincre que je n'ai rien à voir avec cette histoire de cornichons, même si je sais que tout ça est un peu ma faute. En tentant de me consoler du mieux qu'il peut, il vérifie mon examen de maths à ma demande. J'ai vraiment travaillé trop fort pour échouer. En finissant d'examiner ma copie, son visage change d'air. Il devient tout drôle, on dirait qu'il a vu une étrange créature.

– Eh bien ! Alexandra, je ne comprends pas ce qui est arrivé à madame Pichenet, mais je dois la rencontrer. Quant à moi, je te félicite pour ton résultat. Tu as eu 45 sur 50.

Cette nouvelle aurait dû me combler de joie, mais au contraire, je crois qu'Auguste est mort pour rien. Il aurait été tellement fier de ma réussite. Pour l'instant, je ne veux qu'une

chose, rentrer chez moi, m'en-
fermer dans ma chambre et
pleurer jusqu'à la fin des temps.
Je suis certaine que tu ferais la
même chose.

Chapitre 6

QUELLE SOIRÉE !

Je suis allongée sur mon lit en serrant Auguste très fort. Le directeur m'a donné le restant de la journée de congé. Tous mes amis de la classe m'ont aidée à recoller Auguste. S'ils savaient vraiment ce que représente ce petit bonhomme-sourire pour moi ! Maintenant, il est juste un macaron tout rafistolé. Je lui dis, toute fière :

– Monsieur le directeur a dit que la sorcière va être renvoyée, c'est fantastique, non ? Grâce à toi, j'ai réussi mon examen. Tu es le plus courageux de tous et je t'aime, Auguste !

Aucune réponse. Jamais plus un mot ne sortira de cette jolie bouche.

La sonnerie de l'entrée me tire de mes tristes pensées. Qui peut bien sonner à dix heures du soir ? J'entends maman crier, un son à vous faire claquer des dents. Sur le coup, j'en ai la frousse. Elle me demande de descendre. C'est donc qu'il n'y a rien de grave.

– Alex, vite ! supplie ma mère.

– J'arrive, maman !

Si elle me fait descendre pour rien, je vais lui dire que je veux rester seule et que... Pour une surprise, c'est une surprise. Sur le pas de la porte, il est là.

– Papa !

Je lui saute au cou. Folle de joie, je le couvre de baisers. Il me serre très fort dans ses bras.

– Mon poussin ! Ma petite fleur, comme c'est bon de vous revoir, maman et toi !

Son temps de réflexion est terminé. Mon père est revenu pour toujours — je l'espère ! — Il dit que sans nous, c'est le vide complet, comme si plus rien n'existait autour de lui, comme s'il s'égarait en forêt et se trouvait à tourner en rond pour le restant de ses jours. Pas besoin de te dire qu'on a eu une foule de choses à se raconter. Ç'a été un bavardage continuel pendant une bonne partie de la nuit. Je n'ai pas lâché mon père d'une semelle. Un vrai pot de colle.

Cela me rappelle ma première rencontre avec Auguste, des rires, des discussions, des bisous chaleureux... Je suis toute confuse. Le jour où papa est parti, Auguste, mon ange gardien d'amour, est apparu et m'a redonné le sourire. Maintenant qu'il est mort, c'est papa qui revient. Ne trouves-tu pas cela étrange ?

Papa et maman m'accompagnent à mon lit. Comme c'est agréable de se faire border par ses deux parents. Ils m'embrassent tendrement tour à tour en me souhaitant de merveilleux rêves. Puis ils quittent la chambre main dans la main comme de jeunes amoureux.

Je devrais être la petite fille la plus heureuse du monde, pourtant je pleure comme un bébé. Les retrouvailles de ma mère et de mon père que j'adore n'ont pas réussi à me faire oublier la perte d'Auguste. J'ai raison de pleurer, il était mon meilleur ami.

– Je t'aime de tout mon cœur, Auguste !

– Pourquoi pleures-tu, mon ange ?

– Auguste ?...

Table des matières

DES LIVRES POUR TOI
AUX ÉDITIONS DE LA PAIX

127, rue Lussier
Saint-Alphonse-de-Granby, Québec
J0E 2A0
Téléphone et télécopieur
(450) 375-4765
Courriel **info@editpaix.qc.ca**
Visitez notre catalogue électronique
www.editpaix.qc.ca

Collection DÈS 6 ANS

Raymond Paradis
   Le Petit Dragon vert
   Le Piano qui jouait tout seul
Claire Daignault
   Tranches de petite vie chez les
   Painchaud
Philippe Jouin
   Auguste
Jacinthe Lemay
   Zorteil, la mouffette de Pâques
      Avec guide-terrain-de-jeux pour la
      lecture
Josée Ouimet
   Le Paravent chinois

Yvan DeMuy
Sacré Gaston !
Francine Bélair
Mamie et la petite Azimer
Odette Bourdon
Shan et le poisson rouge
Dominic Granger
Bichou et ses lunettes

Collection DÈS 9 ANS

Réjean Lavoie
Chauve-souris sur le Net
(suite de Clonage-choc)
Clonage-choc
Manon Plouffe
Le Rat de bibliothèque
Manon Boudreau
La Famille Calicou
Maryse Robillard
Chouchou plein de poux
Josée Ouimet
Passeport pour l'an 2000
Manon Plouffe
Clara se fait les dents
Manon Boudreau
Le Magicien à la gomme
Jean-Marie Gignac
La Fiole des Zarondis

Louis Desmarais
Tempêtes sur Atadia
Tommy Laventurier
Le Bateau hanté
Indiana Tommy
L'Étrange Amie de Julie
Sélectionné par Communication jeunesse
Avec guide d'accompagnement pour la lecture
Jean Béland
Un des secrets du fort Chambly
Adieu, Limonade !
Avec guide d'accompagnement pour la lecture
Isabel Vaillancourt
L'Été de tous les maux
Francine Bélair
Les Dents d'Akéla
Sélectionné par Communication jeunesse

Collection ADOS/ADULTES

Marcel Braitstein
Saber dans la jungle de l'Antarctique
(suite des Mystères de l'île de Saber)
Les Mystères de l'île de Saber
Suzanne Duchesne
Nuits occultes

Collection
PETITE ÉCOLE AMUSANTE

Drôles d'énigmes
Robert Larin
Petits Problèmes amusants
Virginie Millière
Les Recettes de ma GRAM-MAIRE

Collection JEUNE PLUME

Hélène Desgranges
Choisir la vie
Collectifs
Pour tout l'Art du jeune monde
Parlez-nous d'amour

Collection RÊVES À CONTER

André Cailloux
Les Contes de ma grenouille
Diane Pelletier
Murmures dans les bois
Rollande Saint-Onge
Petites Histoires peut-être vraies
(Tome I)
Petites Histoires peut-être vraies
(Tome II)
Petits Contes espiègles
Ces trois derniers titres ont un guide
d'animation pour les adultes

Achevé d'imprimer chez
MARC VEILLEUX IMPRIMEUR INC.,
à Boucherville,
en octobre 2000